POWER

WE NEED LOVE

BEAUTIFUL MONSTER | I LIKE IT | LOVE | RUN2U (TAK Remix)

KU-084-128

STAYC

WE NEED LOVE

POWER

WE NEED LOVE

BEAUTIFUL MONSTER

STAYC   THE 3RD SINGLE ALBUM   WE NEED LOVE

I LIKE IT

WE NEED LOVE

LOVE

RUN2U (TAK Remix)

WE NEED LOVE

WE NEED
LOVE

STAYC   THE 3RD SINGLE ALBUM   WE NEED LOVE

WE NEED LOVE

WE NEED LOVE

STAYC

THE 3RD SINGLE ALBUM
WE NEED LOVE

STAYC
SEEUN

STAYC

THE 3RD SINGLE ALBUM
WE NEED LOVE

WE NEED
LOVE

STAYC
SIEUN

WE NEED LOVE

STAYC
SUMIN

STAYC   THE 3RD SINGLE ALBUM   WE NEED LOVE

WE NEED
LOVE

SUMIN SIEUN ISA SEEUN YOON J

STAYC OFFICIAL SCENT
TEEN FRESH

WE NEED
LOVE

STAYC
YOON

WE NEED
LOVE

WE
NEED

LOVE

TRACK
LIST

01 BEAUTIFUL MONSTER

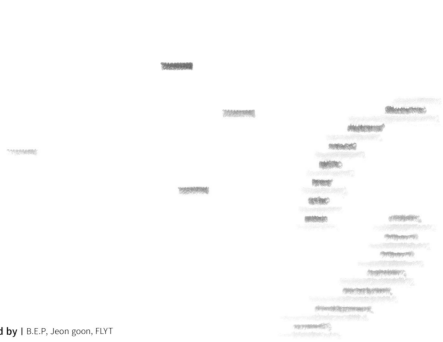

Produced by | B.E.P, Jeon goon, FLYT

Composed by | B.E.P, FLYT
Lyrics by | B.E.P, Jeon goon
Arranged by | Rado, FLYT

Drums by | Rado
Guitar by | 정재필
Bass by | FLYT
Chorus by | Ashley alisha

Recorded by | 정은경, 양영은 @ingrid studio
Digital editing by | 정은경 @ingrid studio, Rado @Vanguard Town
Mixed by | DRK (asst. 김준상, 지민우, 온성윤, 김준영) @koko sound studio
Mastered by | Dave Kutch @The Mastering Palace

STAYC girls it's going down

Anyway yeah 네가 필요해 yeah
마치 퍼즐 같긴 해도 it's ok
너를 떠올리는 향기는 so blue yeah eh
너만이 알 수 있는 뜻

Sweet 한 네 attitude
달콤한 얘기도
따사로운 햇빛도
가끔은 차가워 cause I do
널 안고 있어도
I'm so cold

사랑이라는 이름의 용기가 필요해

Yes I know yeah 넌 BEAUTIFUL MONSTER
넌 날 아프게 하고 또 치료해
Yes I know yeah 넌 BEAUTIFUL MONSTER
Love is ooh ooh love is ooh ooh

단 한 번만이라도 please be a man yeah eh
머릿속 하얘지려 해

This is not a game
This is not a show
혼자 꾸는 행복한 이 꿈
복잡해 you better ready or not
답답해 because you out of control

Sweet한 네 attitude
달콤한 얘기도
따사로운 햇빛도
가끔은 차가워 cause I do
널 안고 있어도
I'm so cold

사랑이라는 이름의 용기가 필요해

Yes I know yeah 넌 BEAUTIFUL MONSTER
넌 날 아프게 하고 또 치료해
Yes I know yeah 넌 BEAUTIFUL MONSTER
Love is ooh ooh love is ooh ooh

그래 넌 MONSTER told you I wonder
Ooh ooh ooh ooh ooh
What do you call me
What is me out there
Ooh ooh ooh ooh ooh

Yes I know yeah 넌 BEAUTIFUL MONSTER
넌 날 아프게 하고 또 치료해
Yes I know yeah 넌 BEAUTIFUL MONSTER
Love is ooh ooh love is ooh ooh

02 I LIKE IT

Produced by | B.E.P, Jeon goon

Composed by | B.E.P, Jeon goon
Lyrics by | B.E.P, Jeon goon
Arranged by | Rado

Drums by | Rado
Keyboard by | Rado
Guitar by | Rado
Chorus by | Ashley alisha

Recorded by | 정은경 @ingrid studio
Digital editing by | 정은경 @ingrid studio, Rado @Vanguard Town
Mixed by | DRK (asst. 김준상, 지민우, 온성윤, 김준영) @koko sound studio
Mastered by | Stuart Hawkes @Metropolis Mastering Studios

햇살은 눈부셔
I got my shades on
공기는 포근해
The ocean is so blue
You know I like the feel
모든 걸 맡긴 채
That's right yeah I LIKE IT I LIKE IT yeah

꾸미지 않아도 괜찮아 what
멋부리지 않아도
지금 좀 급하다고
편하게 입고서 hurry

어딘가 멀리 떠나자 빨리
We need a little break yeah
모두 다 잊고서
잠깐 숨을 돌려

답답해 a lot of stress
모든 걸 내려놓을 때 yeah
자유는 바로 옆에
우리가 느끼는 곳에

아무 방해 없는 곳으로 just dive in
And then just turn off the phone
아무 생각 말고

햇살은 눈부셔
I got my shades on
공기는 포근해
The ocean is so blue
You know I like the feel
모든 걸 맡긴 채
That's right yeah I LIKE IT I LIKE IT yeah

Open the windows 속도는 low low
상쾌한 바닷가 바람 한적한 도로
특별할 게 없어도 시간을 내
절대 망설이지 마 you gotta go on

또 가끔은 좀 아무것도 안 하는 게
필요할 때가 있어 다들 착각을 해
너무 많은 생각 you're gonna burn out
You know it's the time
You better go out

너무 팽팽
그래 everyday
느슨하게 좀 let's chill and refresh
너무너무 먼 미래는 아직 몰라도 돼
Ain't nobody's perfect

시간은 또 달아나
아무리 발버둥을 쳐봤자 ay
모든 건 뜻대로 되지 않아
괜찮아 네 탓이 아니잖아

햇살은 눈부셔
I got my shades on
공기는 포근해
The ocean is so blue
You know I like the feel
모든 걸 맡긴 채
That's right yeah I LIKE IT I LIKE IT

STAYC

Telling you boys and girls
This is just how we do
Want you to know you know that
This is just how we do
×2

03 LOVE

Produced by | B.E.P, FLYT, Jeon goon

Composed by | B.E.P, FLYT
Lyrics by | B.E.P, Jeon goon
Arranged by | FLYT

Drums by | FLYT
Bass by | FLYT
Keyboard by | FLYT
Chorus by | Ashley alisha

Recorded by | 정은경 @ingrid studio
Digital editing by | 정은경 @ingrid studio
Mixed by | DRK (asst. 김준상, 지민우, 온성윤, 김준영) @koko sound studio
Mastered by | Stuart Hawkes @Metropolis Mastering Studios

꿈을 꾸는 게 그래
네게서 벗어나질 못하는 중
이별 그게 그래 누군가는
아파하며 시작해
어려워서 난 난 그래
아직 몰라서 난 난 그래
오 난 그래
사랑이 내겐 늘 왜 그리 그리 어려운지

Yeah it's a hard thing
Like it's not me
너무나 힘들어 내가 아닌 것 같아
달콤한 것만 내꺼 아픈 건 누가
좀 대신해 줘 boy, I don't wanna say goodbye

Like this 아직까지
I feel 간직하지
그래 너무나 서툴러 like I'm 16
아직도 와닿지 않아 never easy

누굴 만나도 영원할 순 없겠지만
언제나 잊혀 질까요
보고 싶다
이런 내 맘을 아나요
근데 돌아가기엔 너무 멀어 보여요

따라람다람담 ×3

Don't forget me
가슴이 뛰면
난 순간에 널 떠올릴 거야
Don't forget me
눈을 감으면
노래하고 춤을 추는 우리가 보이니

누굴 만나도 영원할 순 없겠지만
언제나 잊혀 질까요
보고 싶다
이런 내 맘을 아나요
근데 돌아가기엔 너무 멀어졌네요

따라람다람담 ×2

가득 날리던 꽃들과
널 보고 오는 이길
파란 바다 위에
새겨놓은 우리 얘기가
부서지고 있어

LOVE

STAYC

04 RUN2U (TAK Remix)

Produced by | B.E.P, Jeon goon, FLYT, 탁(TAK)

Composed by | B.E.P, Jeon goon, FLYT
Lyrics by | B.E.P, Jeon goon
Arranged by | 탁(TAK)

Drums by | 탁(TAK)
Keyboard by | 탁(TAK)
Bass by | 탁(TAK)
Chorus by | 시은 (STAYC), Rado

Recorded by | 정은경 @ingrid studio
Digital editing by | 정은경 @ingrid studio
Mixed by | DRK (asst. 김준상, 지민우, 온성윤, 김준영) @koko sound studio
Mastered by | Dave Kutch @The Mastering Palace

RUN!

Told you not 또 괜한 기대
겉으론 걱정해 난 안 바뀌네
또 가끔 말을 막 해 너무 딱해
헛소리들 나는 안 들리네 no oh yeah

Told you 난 so always b day
겉으론 내 편인데 못해 이해
그 참견들은 가짜 나는 바빠
어떻게 해도 나는 안 들리네 no no oh

타 버리고 파 너의 사랑은 so sunny yeah
사라져도 사라져도
다 버리고 파 너만 있다면 no worry yeah
알잖아 It should be you

So I'LL RUN TO YOU
So I'LL RUN TO YOU
선을 넘는 거래도 over and over
다쳐도 괜찮아 I'LL RUN TO YOU

So I'LL RUN TO YOU
A little bit little bit (Young)
A little bit little bit (Young)
A little bit little bit
알지 나의 Style

네가 어떤 너래도 over and over
다쳐도 괜찮아 I'LL RUN TO YOU

JJ 물불 안 가리는 type
I never 절대로 도도
망가질 수 없는 사이
알잖아 I'm not a poser

혹시라도 잘못돼도 절대 너를 탓하지 않아
그게 어디라도 wanna be there

타 버리고 파 너의 사랑은 so sunny yeah
사라져도 사라져도
다 버리고 파 너만 있다면 no worry yeah
알잖아 It should be you
So I'LL RUN TO YOU
So I'LL RUN TO YOU
선을 넘는 거래도 over and over
다쳐도 괜찮아 I'LL RUN TO YOU

So I'LL RUN TO YOU

A little bit little bit (Young)
A little bit little bit (Young)
A little bit little bit
알지 나의 Style

네가 어떤 너래도 over and over
다쳐도 괜찮아 I'LL RUN TO YOU

No no that's ok that's ok 누가 뭐래도
No 괜찮아 아플 거래도

상관없어 멋대로 생각해도 돼
막지 못해 널 사랑하기 때문에

So I'LL RUN TO YOU
So I'LL RUN TO YOU
선을 넘는 거래도 over and over
다쳐도 괜찮아 I'LL RUN TO YOU

So I'LL RUN TO YOU

A little bit little bit (Young)
A little bit little bit (Young)
A little bit little bit

알지 나의 Style

네가 어떤 너래도 over and over
다쳐도 괜찮아 I'LL RUN TO YOU

CREDIT

High Up Entertainment

Artist ❘ STAYC
Executive Producer ❘ B.E.P
Executive Supervisor ❘ Michael Choi
Executive Director ❘ Mr.sangun
Creative Director ❘ Rado
Chief Manager ❘ Dustin Kim
A&R ❘ Jeong Jun Hyeon
Artist Development & Casting ❘ Dustin Kim, Lee Jae Eun, Kim Sol
Planning ❘ Lee Jae Eun
Production ❘ Lee Su Ha, Park Eun Joo
Marketing ❘ Jeong Hee Ra, Park Ji Hye
Contents Production ❘ Jung Bora
Finance & Administration ❘ Choo Yoon Hee, An Hyeon Seon
Artist Management ❘ Kwon Jun Mo, Seong Yeong Chan, Lee Seong Je, Kim Hyun Soo
Advertising Business ❘ Oh Ji Ho
Global Business ❘ Xiao Han
Public Relations ❘ HNS HQ

Music Video Director ❘ 김자경 @플렉서블픽쳐스
Performance by ❘ LACHICA
Photograph ❘ 신새벽 (LESSNESS), jdz chung
Photo Set ❘ 안연수 (SceneLab)
Album Design by ❘ 스팍스에디션 (SPARKS EDITION)
Make-up ❘ 김효정, 박윤영 @SOONSOO
Hair ❘ 천민규, 김현미 @SOONSOO
Stylist ❘ 안두호 @Doooho
Stylist Assist ❘ 심예림, 윤자빈
Recording Engineer ❘ 정은경, 양영은 @ingrid studio
Mixed by ❘ DRK (Assist 김준상, 지민우, 온성윤, 김준영) @koko sound studio
Mastered by ❘ Dave Kutch @The Mastering Palace, Stuart Hawkes @Metropolis Mastering Studios
Printed by ❘ Yein-Art